Qu'est-ce que vous faites là?

Dominique Jolin

Les éditions du Raton Laveur

Ce matin, maman nous avait prévenus :

– D'accord, on a dit. On est capables.

Alors, pour ne pas déranger, on est monté jouer.

Mais chaque fois qu'on s'amusait vraiment bien, maman voulait qu'on change de jeu.

Quand le plombier est arrivé, on ne faisait pas de bruit.

Et il a encore fallu changer de jeu.

Après dîner, maman nous a dit de rester au salon devant la télé.

Vous êtes sages, là?

Maman était drôlement contente. Elle avait les yeux pleins d'eau.

Ensuite, on a commencé un nouveau jeu, mais c'était déjà l'heure de se coucher.

Dans la nuit, on a été réveillé. Maman et Jules faisaient beaucoup de bruit et riaient très fort.